中 国 国 家 对 外 汉 语 教 学 领 导 小 组 办 公 室 规 划 教 材
Materiales de enseñanza auspiciados por la Oficina Nacional de Enseñanza del Chino como Lengua Extranjera de China

今 日 汉 语
EL CHINO DE HOY

练习册　第一册
CUADERNO DE EJERCICIOS I

编　者:	王晓澎　　张惠芬
	孔繁清　　吴叔平
译　者:	赵士钰
合作单位:	Universidad de Granada
审订顾问:	Prof. Dr. Juan José Ciruela Alférez

外语教学与研究出版社

图书在版编目(CIP)数据

《今日汉语》练习册 第一册／王晓澎等著 . — 北京：外语教学与研究出版社，2003.8
ISBN 7 - 5600 - 3671 - 6

Ⅰ．今… Ⅱ．王… Ⅲ．汉语—对外汉语教学—习题 Ⅳ．H195.4 - 44

中国版本图书馆 CIP 数据核字（2003）第 074157 号

出 版 人：李朋义
责任编辑：刘展鹏
出版发行：外语教学与研究出版社
社　　址：北京市西三环北路 19 号（100089）
网　　址：http://www.fltrp.com
印　　刷：北京大学印刷厂
开　　本：889×1194　1/16
印　　张：6.75
版　　次：2003 年 8 月第 1 版　2006 年 11 月第 5 次印刷
书　　号：ISBN 7 - 5600 - 3671 - 6
定　　价：9.90 元
*　　*　　*

编写说明

　　《今日汉语》是中国国家对外汉语教学领导小组办公室规划的汉语教材，是专门为以西班牙语为母语或以西班牙语为媒介语的汉语学习者编写的。全书由课本、练习册、教师用书配套而成。课本、练习册、教师用书各为三册，共九本。

　　《今日汉语》旨在培养学习者汉语听说读写的基本技能和一定的汉语交际能力，也可用于针对某一特定语言技能的汉语教学。教材遵循汉语本体的规律、第二语言习得和教学的规律，结合母语或媒介语为西班牙语的学习者的特点，重点突出，富有针对性。

　　《今日汉语》的编写体例是每课由课文、生词、注释、语言点、文化点、综合练习等六个部分组成。以结构为主线，结合功能和文化，以日常交际活动为教学内容，所选材料贴近生活。教材贯彻实践性原则，语法的讲解以语言点的形式出现，语言点的选择由易到难、由简单到复杂，都是最基本最实用的；语言点的解释力求简明扼要，主要是通过实例帮助学习者理解和掌握。《今日汉语》设计了大量丰富的符合语言习得规律的练习，练习由两部分组成，一部分在课本内，另一部分编成练习册。课本内的练习大多适合做课堂作业，可在教师指导下进行。练习册中的练习内容适合做家庭作业，由学习者独立完成。

　　《今日汉语》共75课，每课的教学时间是按4—6课时设计的，具体的教学时间可酌情根据教学对象的实际情况而定。第一册的1—5课，为汉语语音，采用在语流中学习语音的方法，课文只提供一定的语境，不出现汉字，目的在于加强语音训练，打好语音基础。生词部分由正式生词、专名和补充生词组成，正式生词要求能认读、会书写，补充生词则要求能认读即可。有的补充生词会出现在例句或练习中。补充生词可能在以后转为正式生词，因此生词和补充生词有一些是重复的。汉字是教学重点之一，除了讲解汉字的基本笔画和主要特点以外，还设计了描摹式的练习方法。文化点以介绍传统文化和交际文化为主，反映出中国文化的丰富内涵和当代中国人的思维方式及价值观念。《教师用书》供教学参考，目的是帮助教师确定教学重点，提供一些教学参考材料，不是必须遵循的标准教案。

PALABRAS DE LA REDACCIÓN

EL CHINO DE HOY es una serie de materiales de enseñanza auspiciados por la Oficina Estatal de China para la Enseñanza del Chino a Extranjeros y redactados especialmente para los que quieren estudiar el idioma chino y que tienen el español como lengua materna o la toman como vehículo. Toda la serie se compone de *Libros de texto I, II, III*; *Cuadernos de ejercicios I, II, III*, y *Manuales del profesor I, II, III*, que son nueve volúmenes en total.

EL CHINO DE HOY tiene por objeto formar en los estudiantes las siguientes aptitudes básicas en el manejo del chino: comprensión auditiva y lectiva y expresión verbal y escrita, además de cierta capacidad comunicativa en este idioma. Puede emplearse también para la formación de alguna disposición lingüística específica en chino. Este trabajo se guía con las reglas propias de la lengua china y las reglas del aprendizaje y enseñanza de segundos idiomas y, partiendo de las características de los estudiantes cuya lengua materna es el español o que lo toman como vehículo, destaca los puntos clave y, por tanto, está claramente orientado a sus destinatarios.

El estilo de redacción de *EL CHINO DE HOY* es como sigue: Cada lección consta de seis partes: Texto, Palabras nuevas, Notas, Cuestiones de la lengua china, Cuestiones de la cultura china y Ejercicios varios. Se adopta la estructura como el hilo principal, combinando la función con la cultura, y se toma los tratos sociales cotidianos como el contenido de la enseñanza, asegurando que los materiales que se emplean concuerden con la realidad de la vida. En este trabajo se tiene en cuenta como principio su carácter práctico. La enseñanza de la gramática se presenta en la forma de cuestiones de la lengua china, las cuales están ordenadas de fáciles a difíciles, de simples a complejas, y son temas fundamentales y de uso práctico. Sus explicaciones se efectúan, en la medida de lo posible, de manera breve y precisa, y se hacen entender y dominar principalmente por medio de ejemplos. En *EL CHINO DE HOY* se han preparado gran cantidad de ejercicios de acuerdo con las reglas del aprendizaje de las lenguas, los cuales se dividen en dos partes: una está incluida en los *Libros de texto* y la otra se halla en los *Cuadernos de ejercicios*. Los incluidos en los Libros de texto son, en su mayoría, idóneos para hacerse en clase con la guía del enseñante. Y los ejercicios de los *Cuadernos* son más indicados para hacerse independientemente por los estudiantes como deberes de casa.

EL CHINO DE HOY tiene en total 75 lecciones. Cada una de ellas está proyectada para 4—6 horas de estudio, pero el número de horas puede determinarse según las circunstancias concretas de los estudiantes. Las primeras cinco lecciones del *Libro de texto I* están dedicadas a la fonética del chino. Se adopta el método de aprender la fonética de la corriente fónica: En estas lecciones sólo se proporciona una situación lingüística y no aparecen caracteres chinos, con el objeto de centrarse en el entrenamiento fonético y sentar así una buena base fonética. El sector de las palabras nuevas está formado por Palabras nuevas del texto, Nombres propios y Palabras suplementarias. En el caso de las primeras, la exigencia es saber leerlas y escribirlas y, en el de las últimas, sólo se pide saber leerlas. Hay que conocer estas suplementarias, porque algunas de ellas aparecerán en los ejemplos o ejercicios. Las palabras suplementarias pueden pasar a ser del texto en lecciones posteriores; por consiguiente, puede que unas y otras se repitan en distintas lecciones. Los caracteres chinos son uno de los puntos clave en la enseñanza. Aparte de las explicaciones sobre los trazos básicos y las características principales de los caracteres, *EL CHINO DE HOY* ha ideado un ejercicio imitativo para practicar la escritura. Las Cuestiones de la cultura china se dedican a tratar principalmente de la cultura tradicional y comunicativa, y reflejan no sólo el rico contenido de la cultura china, sino también la mentalidad y valor de los chinos contemporáneos. El *Manual del profesor* está destinado al personal docente y le sirve de consulta. El propósito consiste en ayudarle a determinar los puntos clave en la enseñanza y proporcionarle algunos materiales de referencia para su trabajo. Y no se trata de un plan de enseñanza estándar a que haya de seguirse.

目　录

一、根据录音标出声调。

Marque los tonos según la grabación.

1. a	a	5. u	u	9. ian	ian
2. o	o	6. u	u	10. in	in
3. e	e	7. ao	ao	11. ing	ing
4. i	i	8. ai	ai	12. uan	uan

二、根据录音写上下列音节的声母。

Agregue a las siguientes sílabas la parte consonántica según la grabación.

1. ___ā   ___ā   9. ___iāng   ___iāng
2. ___á   ___á   10. ___uō   ___uō
3. ___ā   ___ā   11. ___ǔ   ___uā
4. ___ā   ___ā   12. ___ǔ   ___ǔ
5. ___ǎ   ___ǎ   13. ___uī   ___uī
6. ___ē   ___ē   14. ___uài   ___uài
7. ___ò   ___ò   15. ___uǎ   ___uǎ
8. ___iē   ___iē   16. ___uō   ___uō

三、根据录音填上拼音。

Agregue por favor, según la grabación, el pinyin que falta.

1. huān____   3. ____jiàn   5. ____zi   7. ____me
2. ____   4. ____tiān   6. ____   8. ____

四、根据录音，给下列词语标上声调。

Haga el favor de marcar los tonos de las siguientes palabras según la grabación.

1. chuntian   3. jiannan   5. shenti   7. guanzhao
2. fayin   4. Zhongguo   6. jiashu   8. huadian

五、听录音跟读，练习三声变调。

Siga con voz a la grabación para practicar la variación tonal del tercer tono.

1. nǐhǎo
2. xǐzǎo
3. jǐdiǎn
4. kěyǐ
5. gǔdiǎn
6. tǔchǎn
7. lǎohǔ
8. gǔzhǎng
9. nǚbīng
10. yǎnchū

11. lǎoshī
12. yǔyī
13. dǎqiú
14. wǎngqián
15. xiǎoshí
16. yǔyán
17. diǎncài
18. shǒuxù
19. tǐyù
20. pǎobù

六、请充当 B 完成下列对话。

Haga el favor de completar el siguiente diálogo haciendo el papel de B.

A: Nǐ hǎo!
B:_____!

A: huān yīng nǐ.
B:_____.

A: nǐ jiào shénme míngzi?
B:_____.

A: Mǎdīng shì nǎ guó rén?
B:_____?

一、根据录音标出声调。

Marque los tonos según la grabación.

1. zhe	zhe	7. jiang	jiang	13. bu	bu
2. shi	shi	8. piao	piao	14. cha	cha
3. shei	shei	9. liang	liang	15. qing	qing
4. hen	hen	10. ka	ka	16. zuo	zuo
5. dou	dou	11. fei	fei		
6. fang	fang	12. yao	yao		

二、根据录音填上声母。

Haga el favor de añadir la parte consonántica a las siguientes sílabas según la grabación.

1. ___iāng	___iāng	8. ___ǔn	___ǔn	
2. ___iān	jiān	9. ___iǔ	___iǔ	
3. ___iāo	___iāo	10. ___uè	___uè	
4. ___ióng	___ióng	11. ___uān	___iān	
5. ___ūn	___ūn	12. ___àn	___àng	
6. ___uàn	___uàn	13. ___īng	___iāng	
7. ___uì	___uì	14. ___iā	___iā	

三、根据录音标上声调。

Haga el favor de marcar los tonos según la grabación.

1. bu	shuo	3. bu	mang	5. bu	hao	7. bu	yao
2. bu	hei	4. bu	lai	6. bu	mai	8. bu	cuo

四、跟着录音听写。

Escriba al dictado de la grabación.

五、听两遍录音后，给下列词语标上声调。

Escuche dos veces la grabación y luego marque los tonos de las siguientes palabras.

1. xianhua
2. chunhan
3. mingnian
4. shiyi
5. shengci
6. yaoqiu

7. youju
8. hongcha
9. fengjing
10. xiuli
11. pingguo
12. meiyou

六、　听两遍录音并根据录音完成对话。

Haga el favor de escuchar dos veces la grabación y luego, según ésta, completar el diálogo.

A: Zhè shì shéi?

B: _____.

A: Zhè shì mǎdīng de māma ma?

B: _____.

A: Zhè shì shéi de fángjiān?

B:_____.

A: Mǎdīng de fángjiān piàoliang ma?

B: _____.

A: Mǎdīng de bàba yào chá ma?

B: _____.

A: Mǎdīng māma de shēntǐ hǎo ma?

B: _____.

一、根据录音写出韵母和声调。

Escriba, de acuerdo con la grabación, la parte vocálica y el tono de las siguientes sílabas.

1. zh———	zh———	5. zh———	zh———
2. zh———	zh———	6. zh———	zh———
3. sh———	sh———	7. zh———	zh———
4. r———	r———	8. zh———	zh———

二、根据录音写出下列词语的声母。

Haga el favor de agregar, según la grabación, la parte consonántica a las siguientes sílabas.

1. _____iāo	_____iāo	6. _____uō	_____uō
2. _____ǎo	_____ǎo	7. _____uàn	_____uàn
3. _____ān	_____āng	8. _____ūn	_____ūn
4. _____ǎng	_____ǎng	9. _____ūn	_____ūn
5. _____òng	_____òng		

三、根据录音填上拼音。

Añada según la grabación el pinyin que falta.

1. zhù_____	5. _____shao
2. shì ér_____	6. míng_____
3. sān yāo liù_____	7. _____xiào
4. diànhuà_____	8. kā fēi_____

四、跟录音朗读。

Haga el favor de seguir con voz a la grabación.

1. dìdi	6. mèimei	11. shítou	16. kuàizi
2. gēge	7. dìfang	12. nǐmen	17. wǎn shang
3. bàba	8. shénme	13. yuèliang	18. yìsi
4. māma	9. dōngxi	14. tàitai	19. qīngchu
5. jiějie	10. xīaoxi	15. xīnsi	20. míngbai

五、　根据录音给下面的词语标上声调。

Haga el favor de marcar los tonos de las siguientes palabras según la grabación.

1. xihuan

2. huanying

3. xifang

4. xiwang

5. haoma

6. haohan

7. diancai

8. dianhua

9. maihua

10. maihua

11. zenme

12. zheme

六、　听录音后完成下列对话。

Complete el siguiente diálogo luego de escuchar la grabación.

A: Nǐ zhù běijīng dàxué ma?

B:_____.

A: Nǐ zhù nǎr?

B:_____.

A: Mǎdīng zhù nǎr?

B:_____.

A: Mǎdīng yǒu diànhuà ma?

B: _____.

A: Tā de diànhuà hàomǎ shì duōshao?

B:_____.

一、根据录音填上韵母。

Haga el favor de agregar la parte vocálica a las siguientes sílabas según la grabación.

1. c _____	6. c _____	11. z _____	16. s _____
2. c _____	7. c _____	12. z _____	17. s _____
3. c _____	8. c _____	13. z _____	18. s _____
4. c _____	9. c _____	14. z _____	19. s _____
5. c _____	10. z _____	15. s _____	20. s _____

二、根据录音给下列词语填上韵母。

Agregue, según la grabación, la parte vocálica a las siguientes sílabas.

1. c _____	c _____	5. j _____	q _____
2. z _____	z _____	6. j _____	x _____
3. c _____	ch _____	7. x _____	q _____
4. j _____	q _____	8. q _____	q _____

三、根据录音填上拼音。

Añada según la grabación el pinyin que falta.

1. píng _____	4. pí _____
2. _____ jiāo	5. yī _____
3. duōshao_____	

四、跟录音朗读。

Siga con voz a la grabación.

1. yīzhāng	6. yīzhí	11. yīqǐ	16. yīxiàng
2. yīxiāng	7. yīlián	12. yīzǎo	17. yīguàn
3. yījīn	8. yītóng	13. yījǔ	18. yīyàng
4. yībān	9. yīqún	14. yīhuǎng	19. yīzhì
5. yīpī	10. yītiáo	15. yīběn	20. yīxià

五、根据录音给下列词语标上声调。

Marque los tonos de las siguientes palabras según la grabación.

1. you yisi

2. wen wenti

3. xie dizhi

4. chuan yifu

5. mai kele

6. he niunai

7. jiang gushi

8. tan tianqi

9. chi wufan

10. zuo lianxi

六、请跟录音朗读对话。

Haga el favor de leer los siguientes diálogos siguiendo a la grabación.

A: Nǐyào diǎnr shénme?

B: Wǒ yào chá, bù yào biéde.

A: Wǒ yào wǔ jīn xiāngjiāo liǎng jīn píngguǒ, yīgòng duōshao qián?

B: Yīgòng èr shí sì kuài.

A: Yī píng píjiǔ duōshao qián?

B: Píjiǔ wǔ kuài qián yī píng.

A: Nǐ yào duōshao jiǎozi?

B: Wǒ yào yī jīn.

A: Nǐ lái diǎnr shénme?

B: Wǒ lái bàn jīn jiǎozi yī píng píjiǔ.

一、 根据录音标出声调。

Haga el favor de marcar los tonos de las siguientes sílabas según la grabación.

1. gu gu	6. ke ke	11. hu hu
2. gua gua	7. kua kua	12. hua hua
3. gui gui	8. kui kui	13. hui hui
4. guan guan	9. kou kou	14. huan huan
5. gun gun	10. he he	15. huang huang

二、 根据录音填上下列词语的声母。

Haga el favor de añadir, según la grabación, la parte consonántica a las sílabas de las siguientes palabras.

1. _____ōng	7. _____ǎo	13. _____óng
2. _____òng	8. _____ǎo	14. _____óng
3. _____ěn	9. _____uài	15. _____ǎo
4. _____ěn	10. _____uài	16. _____ǎo
5. _____āng	11. _____uāng	17. _____áng
6. _____āng	12. _____uāng	18. _____áng

三、 根据录音给下列词语标上声调。

Haga el favor de marcar los tonos de las siguientes palabras según la grabación.

1. Changcheng	5. shenghuo xiguan
2. xiang qu	6. qing fangxin
3. bijiao yuan	7. zhuyi shenti
4. fujin you chezhan	8. chang da dianhua

四、 请跟录音朗读。

Haga el favor de seguir con voz a la grabación.

1. yī diǎnr	5. huār	9. kòngr
2. huàr	6. juānr	10. tóur
3. fēngwèir	7. kǒur	11. tǔdòur
4. zhèr	8. cìr	12. sòng xìnr

五、根据录音给下列词语填上拼音。

Haga el favor de agregar, según la grabación, a las siguientes palabras el pinyin que falta.

1. xīngqī _____

2. _____ tiān

3. _____ tiān

4. _____ tiān

5. _____ tiān

6. chē _____

7. _____ xíguàn

8. bǐjiào _____

9. _____ yuǎn

10. fù _____

11. zìxíng _____

12. _____ de

六、听录音跟读。

Haga el favor de escuchar la grabación y seguirla con voz.

A: Zhè gè xīngqī liù nǐ xiǎng qù nǎr?

B: Wǒ xiǎng qù Chángchéng, nǐ ne?

A: Wǒ yě xiǎng qù Chángchéng.

B: Chángchéng yuǎn bu yuǎn?

A: Bǐjiào yuǎn.

B: Kěyǐ zuò huǒchē qù ma?

A: Kěyǐ.

A: Nǐ zài Zhōngguó shēnghuó xíguàn ma?

B: Hái bú tài xíguàn.

A: Nǐ xuéxí máng bu máng?

B: Bǐjiào máng.

A: Duō zhùyì shēntǐ.

B: Hǎode, nǐ fàngxīn ba.

一、将词意对应的词连线。

Enlace con rayas las palabras chinas y españolas de significado correspondiente.

学习	yo	对	tú
什么	China	你	lengua española
是	estudiar	学生	sí
我	qué	西班牙语	lengua china
中国	ser	汉语	estudiante

二、选择词语填空。

Elija palabras para rellenar los blancos.

学习	是	什么
你	吗	中国学生
西班牙语	汉语	我

(1) 马丁_____汉语。

(2) _____是中国学生吗？

(3) 王大伟学习_____？

(4) 你学习汉语_____？

(5) 西班牙学生学习_____？

(6) _____学习西班牙语吗？

(7) _____学习英语。

(8) 王大伟_____中国学生。

三、选择括号中词语的正确位置。

Haga el favor de determinar la ubicación correcta de las palabras que van entre paréntesis en cada oración.

(1)（A）我（B）中国学生（C）。（是）

(2) 你（A）王大伟（B）吗（C）？（是）

(3)（A）中国学生（B）西班牙语（C）。（学习）

(4)（A）美国学生（B）汉语（C）。（学习）

（5）（A）你（B）学习（C）？（什么）

（6）我（A）是（B）学生（C）。（西班牙）

（7）（A）马丁（B）学习（C）？（什么）

（8）王大伟（A）是（B）学生（C）。（中国）

四、判断正误。（✓）（×）

Juzgue la corrección de las siguientes oraciones.（✓）（×）

（1）什么你学习？   （　　）

（2）你是中国学生吗？   （　　）

（3）什么学习马丁？   （　　）

（4）王大伟是学生中国。   （　　）

（5）西班牙学生学习什么？   （　　）

（6）我是学生西班牙。   （　　）

（7）英语学习法国学生。   （　　）

（8）你是俄国学生吗？   （　　）

五、用指定词语完成句子。

Complete las oraciones con las palabras dadas.

（1）我是＿＿＿＿＿＿＿＿＿＿。   （中国）

（2）他是＿＿＿＿＿＿＿＿＿＿。   （西班牙）

（3）马丁是＿＿＿＿＿＿＿＿＿＿？   （吗）

（4）王大伟是＿＿＿＿＿＿＿＿＿＿？   （吗）

（5）中国学生＿＿＿＿＿＿＿＿＿＿？   （什么　学习）

（6）西班牙学生＿＿＿＿＿＿＿＿＿＿？   （什么　学习）

（7）你＿＿＿＿＿＿＿＿＿＿？   （什么　学习）

（8）你是＿＿＿＿＿＿＿＿＿＿吗？   （学生　英国）

六、按照汉语语序组成句子。

Forme oraciones según el orden de palabras del chino.

(1) 西班牙学生／是／我

(2) 是／中国学生／你／吗

(3) 吗／王大伟／日本学生／是

(4) 马丁／英国学生／吗／是

(5) 什么／学习／美国学生

(6) 学习／俄国学生／什么

(7) 汉语／日本学生／学习

(8) 学生／英语／法国／学习

七、将下列句子翻译成汉语。

Traduzca al chino las siguientes oraciones.

(1) Soy estudiante chino.

(2) ¿Eres estudiante español?

(3) ¿Qué estudia Wang Dawei?

(4) ¿Qué estudian los alunmos ingleses?

(5) ¿Estudian chino los alumnos rusos?

(6) ¿Eres estudiante?

(7) ¿Qué estudian los alumnos franceses?

(8) ¿Estudian japonés los alumnos ingleses?

八、学写汉字。

Aprenda a escribir caracteres chinos.

你												
好												
学												
习												
什												
么												
我												
汉												
语												
是												
中												
国												
生												
吗												
对												
西												
班												
牙												

一、将词意对应的词连线。

Enlace con rayas las palabras chinas y españolas de significado correspondiente.

这	enseñar	国	también
朋友	ella	哪	país
老师	éste, ésta	不	persona
教	amigo	人	qué
她	profesor	也	no

二、选择词语填空。

Elija palabras para rellenar los blancos.

哪国	是	这
教	不	也
什么	西班牙语	我朋友

(1) 她是＿＿＿＿老师？

(2) 他教＿＿＿＿？

(3) 他们＿＿＿＿是老师。

(4) 我学习汉语，我朋友＿＿＿＿学习汉语。

(5) ＿＿＿＿是汉语老师。

(6) 他们学习＿＿＿＿？

(7) 这＿＿＿＿我朋友。

(8) 她是中国人，我＿＿＿＿是中国人。

三、选择括号中词语的正确位置。

Haga el favor de determinar la ubicación correcta de las palabras que van entre paréntesis en cada oración.

(1) （A）你（B）是（C）人？（哪国）

(2) （A）他（B）是（C）学生？（哪国）

(3) 你学习西班牙语，（A）我（B）学习西班牙语（C）。（也）

(4) 他教汉语，（A）我（B）教汉语（C）。（也）

(5)（Ａ）他（Ｂ）教（Ｃ）英语，他朋友教英语。（不）

(6)（Ａ）他（Ｂ）是（Ｃ）老师，是学生。（不）

(7) 王大伟是学生，（Ａ）马丁（Ｂ）是学生（Ｃ）。（也）

(8)（Ａ）她（Ｂ）教（Ｃ）？（什么）

四、用指定词语完成句子。

Complete las oraciones utilizando las palabras dadas.

(1) 他是英语老师，_____。 （也）

(2) 他是美国人，_____。 （不）

(3) 这是_____。 （朋友，我）

(4) 他朋友_____？ （什么，教）

(5) 马丁是_____？ （学生，哪国）

(6) 我教法语，_____。 （也）

(7) 我是马丁，_____。 （这）

(8) 他不学阿拉伯语，他朋友_____。 （不，也）

五、判断正误。（✓）（×）

Juzgue la corrección de las siguientes oraciones.（✓）（×）

(1) 这是我老师。 （　　）

(2) 他是学生，我是学生也。 （　　）

(3) 什么你教？ （　　）

(4) 她教英语，也她朋友教英语。 （　　）

(5) 他不教英语，他朋友也不教英语。 （　　）

(6) 爱琳娜是老师，她教西班牙语。 （　　）

(7) 我不是美国人，我朋友不也是美国人。 （　　）

(8) 这是他老师，教法语。 （　　）

六、按照汉语词序组成句子。

Forme oraciones con las palabras dadas según el orden de palabras del chino.

(1) 是／这／我朋友

(2) 西班牙语／教／她

(3) 哪国／是／他／学生

(4) 什么／教／老师／中国

(5) 也／他朋友／老师／是

(6) 也／他们／德语／学习

(7) 吗／他／是／也／老师

(8) 不／她／英语／也／学习

七、将下列句子翻译成汉语。

Traduzca al chino las siguientes oraciones.

(1) Este es mi amigo.

(2) Su amigo enseña español.

(3) Elena es mi profesora.

(4) Estudio árabe y mi amigo también.

(5) Él no es francés y su amigo tampoco.

(6) ¿De qué país es su profesor?

(7) ¿De qué país es su amigo?

(8) ¿Qué enseña el profesor norteamericano?

八、学写汉字。

> Aprenda a escribir caracteres chinos.

这													
她													
朋													
友													
哪													
人													
也													
不													
老													
师													
教													

一、将词意对应的词连线。

Enlace con rayas las palabras chinas y españolas de significado correspondiente.

爸爸	estar	他	médico
姐姐	dónde	工作	él
妈妈	papá	医生	quién
哪儿	hermana mayor	医院	trabajar
在	mamá	谁	hospital

二、选词填空。

Elija palabras para rellenar los blancos.

哪儿	在	工作	谁
医生	呢	也	不

(1) 他_____哪儿学习？

(2) _____是医生？

(3) 他姐姐在_____工作？

(4) 他哥哥是老师，他弟弟_____？

(5) _____在西班牙教汉语？

(6) 她姐姐是护士，她妹妹_____？

(7) 她_____医院工作。

(8) 他爸爸不是老师，他妈妈_____是老师。

三、选择括号中词语的正确位置。

Haga el favor de determinar la ubicación correcta de las palabras que van entre paréntesis en cada oración.

(1) 他（A）医院（B）工作（C）。（在）

(2) （A）他们（B）在（C）学习？（哪儿）

(3) （A）在英国（B）工作（C）？（谁）

(4) （A）他爸爸（B）中国（C）教日语。（在）

(5) 他 妹 妹（A）在 加 拿 大（B）工 作（C）。（也）

(6)（A）在（B）法 国 学（C）法 语 ？（谁）

(7)（A）他 在（B）教（C）俄 语 ？（哪 儿）

(8) 他 爸 爸 不 是 医 生 ，（A）他 妈 妈（B）不 是 医 生（C）。（也）

四、用指定词语完成句子。
Complete las oraciones con las palabras dadas.

(1) 他学习德语，＿＿＿＿＿？　　　　　　　　（呢，他朋友）

(2) 她爸爸在美国工作，她妈妈＿＿＿＿？　　　（工作，哪儿）

(3) 李芳在大学学习，玛利亚＿＿＿＿？　　　　（学习，哪儿）

(4) 他教法语，他朋友＿＿＿＿？　　　　　　　（教，也）

(5) 马丁在中国学习，他弟弟＿＿＿＿。　　　　（在，也）

(6) 他姐姐是老师，＿＿＿＿？　　　　　　　　（呢，他妹妹）

(7) 他哥哥在墨西哥工作，他弟弟＿＿＿＿。　　（在，也）

(8) 他爷爷不是老师，他奶奶＿＿＿＿。　　　　（不，也）

五、判断正误。(✓)(✗)
Juzgue la corrección de las siguientes oraciones.(✓)(✗)

(1) 他妈妈工作在医院。　　　　　　　　　　（　　）

(2) 他爷爷教汉语在德国。　　　　　　　　　（　　）

(3) 她在中国教西班牙语。　　　　　　　　　（　　）

(4) 他们工作在哪儿？　　　　　　　　　　　（　　）

(5) 他学习日语在哪儿？　　　　　　　　　　（　　）

(6) 谁在大学工作？　　　　　　　　　　　　（　　）

(7) 他不是学生，他哥哥不也是学生。　　　　（　　）

(8) 他姐姐也在医院工作。　　　　　　　　　（　　）

六、按照汉语语序组成句子。

Forme oraciones con las palabras dadas según el orden de palabras del chino.

(1) 我哥哥／是／这

(2) 医院／工作／在／他

(3) 哪儿／学习／在／他弟弟

(4) 西班牙／西班牙语／教／在／他

(5) 在／教／西班牙语／哪儿／爱琳娜

(6) 也／教／他／汉语／日本／在

(7) 他们／哪儿／在／学习／俄语

(8) 不／他们／是／学生／墨西哥

七、将下列句子翻译成汉语。

Traduzca al chino las siguientes oraciones.

(1) Su amigo no trabaja en la universidad.

(2) ¿Dónde estudian ellos inglés?

(3) Soy su amigo.

(4) Él también enseña árabe.

(5) ¿Dónde enseñas francés?

(6) ¿Quién enseña alemán en los Estados Unidos?

(7) ¿Quién es su amigo?

(8) Ellos tampoco trabajan.

八、学写汉字。

Aprenda a escribir caracteres chinos.

爸													
妈													
他													
在													
儿													
工													
作													
医													
院													
呢													
谁													

一、将词意对应的词连线。

Enlace con rayas las palabras chinas y españolas de significado correspondiente.

护士	ocupado	叫	y
名字	enfermera	谢谢	todos
做	guapa	很	llamarse
忙	hacer	都	muy
漂亮	nombre	和	gracias

二、选择词语填空。

Elija palabras para rellenar los blancos.

和　都　叫　做　漂亮
忙　名字　护士　很　是

(1) 他爸爸_____他妈妈都是老师。

(2) 她_____罗莎。

(3) 他朋友_____什么工作?

(4) 罗莎_____漂亮。

(5) 他_____什么名字?

(6) 他们_____很忙。

(7) 我们_____学习英语。

(8) 你妹妹叫什么_____?

三、选择括号中词语的正确位置。

Haga el favor de determinar la ubicación correcta de las palabras que van entre paréntesis en cada oración.

(1)（A）她们（B）是（C）护士。（都）

(2)（A）她们（B）都（C）漂亮。（很）

(3)（A）他朋友（B）什么（C）名字?（叫）

(4) 他妹妹（A）什么（B）工作（C）?（做）

（5）（A）哥哥和弟弟（B）很（C）忙。（都）

（6）（A）他妹妹（B）很忙（C）。（也）

（7）（A）叫（B）玛利亚（C）?（谁）

（8）（A）他们（B）都（C）是医生（也）

四、用指定词语完成句子。

Complete las oraciones con las palabras dadas.

（1）王大伟不是老师，李芳也不是老师，他们＿＿＿＿＿＿。　（都）

（2）玛利亚很漂亮，罗莎也很漂亮，＿＿＿＿＿＿。　（和，都）

（3）你叫＿＿＿＿＿＿?　（名字）

（4）他做＿＿＿＿＿＿?　（工作，什么）

（5）姐姐和妹妹＿＿＿＿＿＿。　（很，都）

（6）你们很忙，他们＿＿＿＿＿＿?　（不，忙）

（7）他姐姐很漂亮，他妹妹＿＿＿＿＿＿?　（漂亮，不）

（8）我在北京工作，你＿＿＿＿＿＿?　（哪儿，在）

五、判断正误。(√)(✗)

Juzgue la corrección de las siguientes oraciones.(√)(✗)

（1）都老师们很忙。　　　　　　　　　　　　　　　　（　　）

（2）也她是护士。　　　　　　　　　　　　　　　　　（　　）

（3）我们也都在西班牙工作。　　　　　　　　　　　　（　　）

（4）他们都不是医生。　　　　　　　　　　　　　　　（　　）

（5）他们不都是医生。　　　　　　　　　　　　　　　（　　）

（6）他哥哥是老师，和他弟弟是学生。　　　　　　　　（　　）

（7）我们都也教英语。　　　　　　　　　　　　　　　（　　）

（8）她们也都是墨西哥人。　　　　　　　　　　　　　（　　）

六、按照汉语词序组成句子。

Forme oraciones con las palabras dadas según el orden de palabras del chino.

(1) 和／爸爸／妈妈／很／都／忙

(2) 她妹妹／漂亮／很／也

(3) 什么／做／他弟弟／工作

(4) 名字／什么／你朋友／叫

(5) 都／她们／护士／是

(6) 都／也／英国／他们／工作／在

(7) 哪儿／在／学习／法语／他

(8) 和／哥哥／教／弟弟／都／德语

七、将以下句子译成汉语。

Traduzca al chino las siguientes oraciones.

(1) ¿Estudias o no el español?

(2) ¿Enseña él el chino o no?

(3) ¿Está ocupado o no el doctor Li?

(4) ¿Es guapa o no su hermana menor?

(5) Todos ellos toman té.

(6) Las enfermeras son todas muy guapas.

(7) ¿De qué trabaja su mamá?

(8) ¿Cómo se llama su amigo?

八、学写汉字。

Aprenda a escribir caracteres chinos.

和													
都													
很													
漂													
亮													
谢													
叫													
名													
字													
做													
护													
士													
忙													

一、将意思对应的词组连线。

Enlace con rayas los sintagmas chinos y españoles de significado correspondiente.

我的衣服	jersey de la abuela
他的大衣	mi traje
谁的名字	su abrigo
奶奶的毛衣	nombre de quién
哥哥的老师	el hospital de papá
她的洗衣机	profesor del hermano mayor
弟弟的脏衣服	su lavadora
爸爸的医院	ropa sucia del hermanito

二、将"的"放入适当位置。

Coloque "的" en la posición adecuada de las siguientes oraciones.

（1）那是弟弟英语老师。

（2）这是姐姐洗衣机。

（3）那是马丁咖啡。

（4）这是爷爷茶。

（5）妹妹裙子不脏。

（6）王大伟西班牙语老师很忙。

（7）那是玛利亚姐姐。

（8）这是谁裤子？

三、用以下词语组成正反问句并回答。

Utilice las siguientes palabras para formar oraciones interrogativas de tipo afirmativo-negativo y dé las respuestas.

例：忙   A：你老师忙不忙？

B：他很忙。

（1）漂亮   A：_____？

B：_____。

(2) 学 　　　A: ＿＿＿＿＿＿＿＿＿＿＿?

　　　　　　　B: ＿＿＿＿＿＿＿＿＿＿＿。

(3) 好 　　　A: ＿＿＿＿＿＿＿＿＿＿＿?

　　　　　　　B: ＿＿＿＿＿＿＿＿＿＿＿。

(4) 是 　　　A: ＿＿＿＿＿＿＿＿＿＿＿?

　　　　　　　B: ＿＿＿＿＿＿＿＿＿＿＿。

(5) 工作 　　A: ＿＿＿＿＿＿＿＿＿＿＿?

　　　　　　　B: ＿＿＿＿＿＿＿＿＿＿＿。

(6) 教 　　　A: ＿＿＿＿＿＿＿＿＿＿＿?

　　　　　　　B: ＿＿＿＿＿＿＿＿＿＿＿。

(7) 脏 　　　A: ＿＿＿＿＿＿＿＿＿＿＿?

　　　　　　　B: ＿＿＿＿＿＿＿＿＿＿＿。

(8) 干净　　 A: ＿＿＿＿＿＿＿＿＿＿＿?
　　(gānjìng)
　　　　　　　B: ＿＿＿＿＿＿＿＿＿＿＿。

四、选择括号中词语的正确位置。

Haga el favor de determinar la ubicación correcta de las palabras que van entre paréntesis en cada oración.

(1) 李芳（A）衬衣（B）很（C）漂亮。（的）

(2)（A）毛衣（B）是妈妈（C）。（的）

(3)（A）这（B）是谁（C）?（的）

(4) 他的裤子（A）是（B）脏（C）。（的）

(5) 脏衣服（A）放（B）洗衣机（C）。（里）

(6)（A）脏衣服（B）放这儿（C）。（别）

(7) 这是我的大衣，（A）那（B）是（C）我的。（也）

(8) 我们不喝，（A）他们（B）都（C）不喝。（也）

五、改正错句。

Rectifique las faltas de las siguientes oraciones.

(1) 这是李芳西班牙语老师。

(2) 那是谁裤子?

(3) 这是玛利亚毛衣。

(4) 这是弟弟老师。

(5) 哥哥朋友很忙。

(6) 都我们是学生。

(7) 他们在英国工作也。

(8) 我们学习汉语在中国。

六、按照汉语语序组成句子。

Forme oraciones con las palabras dadas según el orden de palabras del chino.

(1) 的／李芳／是／这／朋友

(2) 谁／是／那／的／毛衣

(3) 谁／茶／的／是／这

(4) 漂亮／夹克衫／的／是／这

(5) 的／马丁／老师／工作／中国／在

(6) 王大伟／哥哥／在／学习／法国／的

(7) 是／的／罗莎／这

(8) 姐姐／漂亮／很／的／李芳

七、将以下句子译成汉语。

Traduzca al chino las siguientes oraciones.

(1) Esto es suyo.

(2) ¿De quién es aquello?

(3) El amigo de Martín enseña español en España.

(4) El amigo de Li Fang trabaja en un hospital.

(5) ¿Dónde se pone ropa sucia?

(6) ¿Es aquél el profesor de inglés de Li Fang o no?

(7) El amigo de María es muy guapo.

(8) ¿Está ocupado o no el profesor de Wang Dawei?

八、学写汉字。

　　Aprenda a escribir caracteres chinos.

衣													
服													
脏													
的													
别													
放													
洗													
机													
里													
那													
裤													
子													
弟													

一、将词意对应的词语连线。

Enlace con rayas los sintagmas chinos y españoles de significado correspondiente.

喝咖啡	tomar cerveza	吃奶酪	comer pan
喝牛奶	tomar té	吃面包	comer huevos
喝茶	tomar leche	吃水果	comer queso
喝啤酒	tomar café	吃鸡蛋	comer frutas

二、选择词语填空。

Elija palabras para rellenar los blancos.

还是	有没有	咖啡
茶	吃	水果
面包	奶酪	没有

(1) A:你喝茶_____咖啡?

　　B:我喝_____。

(2) A:我很饿(è,hambre),_____面包、奶酪?

　　B:很对不起,有面包,_____奶酪。

(3) 他们是墨西哥人_____西班牙人?

(4) 他在日本_____在韩国工作?

(5) A:你_____洗衣机?

　　B:对不起,我_____洗衣机。

三、选择正确答案。

Elija la solución correcta.

(1)（A）这（B）是（C）的牛奶?（谁）

(2) 那（A）是（B）爸爸（C）啤酒。（的）

(3) 你（A）喝（B）可乐（C）葡萄酒?（还是）

(4) 脏衣服（B）是（B）弟弟的（C）妹妹的?（还是）

（5）（Ａ）我（Ｂ）喝咖啡（Ｃ）。（也）

（6）（Ａ）我们（Ｂ）吃（Ｃ）奶酪。（都）

（7）玛利亚（Ａ）老师（Ｂ）教（Ｃ）英语。（的）

（8）他（Ａ）教（Ｂ）汉语（Ｃ）日语？（还是）

四、用指定词语完成句子。

Complete las oraciones con las palabras dadas.

（1）他喝咖啡，＿＿＿＿＿＿＿＿。　　　　　　　（茶，不）

（2）真对不起，我＿＿＿＿＿＿。　　　　　　　　（可乐）

（3）你吃面包＿＿＿＿＿＿＿＿？　　　　　　　　（还是）

（4）他教中国学生＿＿＿＿＿＿？　　　　　　　　（还是）

（5）他朋友是＿＿＿＿＿＿＿＿？　　　　　　　　（还是）

（6）毛衣是你的，夹克衫＿＿＿＿＿＿？　　　　　（是不是）

（7）很对不起，我＿＿＿＿＿＿。　　　　　　　　（水果）

（8）Ａ: 脏衣服放哪儿？

　　　Ｂ: ＿＿＿＿＿＿＿＿＿＿＿＿。　　　　　　　（里）

五、改正错句。

Rectifique las faltas de las siguientes oraciones.

（1）他不有妹妹。

＿＿＿＿＿＿＿＿＿＿＿＿＿

（2）他们是没是俄国人？

＿＿＿＿＿＿＿＿＿＿＿＿＿

（3）你有不有弟弟？

＿＿＿＿＿＿＿＿＿＿＿＿＿

（4）也他学法语。

（5）都我们吃果酱。

＿＿＿＿＿＿＿＿＿＿＿＿＿

（6）这不是马丁衣服。

＿＿＿＿＿＿＿＿＿＿＿＿＿

（7）这是谁老师？

＿＿＿＿＿＿＿＿＿＿＿＿＿

（8）他没是中国人，是日本人。

六、按照汉语词序组成句子。

Forme oraciones con las palabras dadas según el orden de palabras del chino.

(1) 放／这儿／衣服／别

(5) 还是／教／中国人／日本人／他

(2) 的／是／那／面包／他们

(6) 还是／在德国／在俄国／他／工作

(3) 啤酒／不喝／他／喝

(7) 他们／都／也／工作

(4) 奶酪／没有／你／有

(8) 工作／他们／没有／有

七、将以下句子翻译成汉语。

Traduzca al chino las siguientes oraciones.

(1) ¿Toman ellos agua mineral o té?

(2) ¿Enseñas o no inglés en China?

(3) ¿Tienes o no té chino?

(4) ¿Enseña ella francés o español?

(5) Perdón, no hay cerveza.

(6) Gracias, tu té es muy bueno.

(7) ¿Es verdad o no que ellos no toman café?

(8) ¿Tomas o no frutas?

八、学写汉字。

Aprenda a escribir caracteres chinos.

喝

茶

咖

啡

还

有

可

乐

真

起

没

一、看图说话。

Hablar a base de dibujos.

这是什么水果？

二、看图会话。

Dialogar a base de dibujos:

(1)

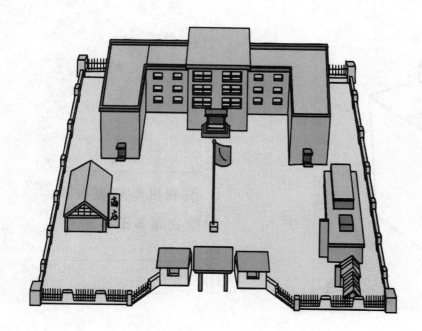

A：＿＿＿＿＿＿＿？

B：学校里有一个商店。

A：那个商店大吗？

B：＿＿＿＿＿＿＿。

(2)

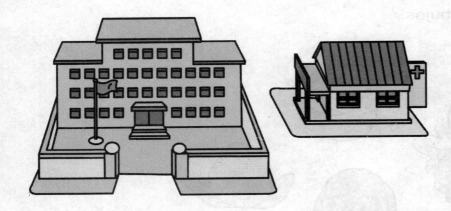

A：学校附近有医院吗？

B：_____。

A：远不远？

B：_____。

(3)

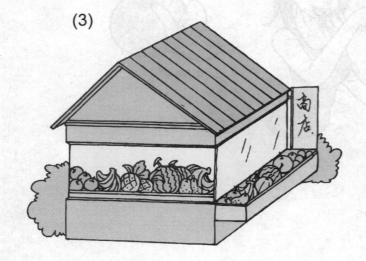

A：那个商店里有没有水果？

B：_____。

A：那个商店里有什么水果？

B：_____。

(4)

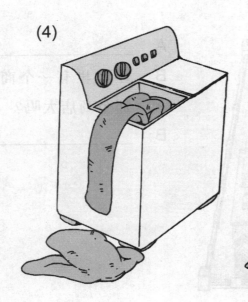

A：_____？

B：洗衣机里有脏衣服。

A：脏衣服多不多？

B：_____。

(5)

A: 马丁后边有人吗？

B: _____。

A: 前边呢？

B: _____。

三、根据补充词汇练习问答。

Practíquense diálogos entre preguntas y respuestas utilizando las palabras suplementarias de abajo y a base del siguiente plano.

学校附近有超市、饭馆、银行、书店、邮局、咖啡馆，网吧、电影院、药店，学校里边有图书馆、商店、健身房

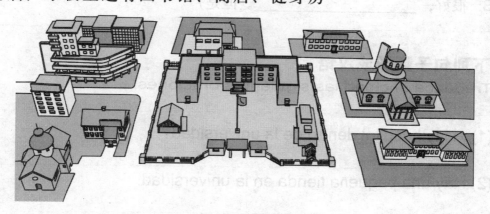

超市	chāoshì	supermercado
饭馆	fànguǎn	restaurante
银行	yínháng	banco
书店	shūdiàn	librería
邮局	yóujú	oficina de correos
咖啡馆	kāfēiguǎn	cafetería
图书馆	túshūguǎn	biblioteca
网吧	wǎngbā	internet bar
电影院	diànyǐngyuàn	cine

药 店   yàodiàn   farmacia
洗衣店   xǐyīdiàn   lavandería
健身房   jiànshēnfáng   gimnasio

例: A: 学校附近有医院吗?
　　B: 学校附近没有医院。

四、用指定词语完成会话。

Complete el diálogo con las palabras dadas.

A: 附近有没有商店?

B: 有,_____。(学校后边)

A: 那个商店大不大?

B:_____。(很大)

A: 那儿的水果好不好?

B: 很好,_____。(但是)

五、将下列句子翻译成汉语。

Traduzca al chino las siguientes oraciones.

(1) ¿Hay hospital dentro de la universidad?
_____

(2) Hay una pequeña tienda en la universidad.
_____

(3) ¿Hay frutas en aquella tienda?
_____

(4) Las frutas de allí son relativamente caras, pero muy buenas.
_____

(5) ¿Dónde hay algún almacén?
_____

(6) En las cercanías no hay supermercado.
_____

(7) La oficina de correos de aquí no es grande.
_____

六、学写汉字。

Aprenda a escribir caracteres chinos.

吧												
比												
边												
大												
但												
店												
附												
个												
贵												
果												
后												
较												
近												
买												
们												
去												
商												

水													
小													
一													
校													

一、请把下列词语跟译文用线连起来。

Haga el favor de enlazar con rayas las siguientes palabras y sus traducciones.

蓝色	teléfono celular	多少	mil
灰色	marca	钱	ciento
牌子	gris	千	cuánto
手机	azul	百	dinero

二、就下列句中的划线部分提问。

Haga preguntas sobre la parte subrayada de las siguientes oraciones.

(1) 我的朋友叫王大伟。

_____?

(2) 这是我弟弟的衣服。

_____?

(3) 爱琳娜是西班牙语老师。

_____?

(4) 玛利亚的爸爸在医院工作。

_____?

(5) 我喝咖啡。

_____?

三、用"太……了"改写句子。

Reconstruya las oraciones utilizando la estructura "太……了".

(1) 我弟弟的裤子很大。 _____

(2) 红色手机很贵。 _____

(3) 那个洗衣机很小。 _____

(4) 爸爸的工作很忙。 _____

(5) 他的衣服很脏。 _____

四、给下列商品打上你认为合适的价格，按照例句练习问答。

Ponga precios que cree adecuados a las siguientes mercancías y practique diálogos entre preguntas y respuestas imitando el ejemplo que se da.

黑色大衣　　　　笔记本电脑　　　　绿色的衣服　　　　香蕉

红色手机　　　　台式电脑　　　　　咖啡色的裤子　　　苹果

例：A：黑色的大衣多少钱？

　　B：一千三百八十块。

　　A：太贵了，红色的呢？

　　B：七百五。

　　A：我买红色的。

五、请把下列句子翻译成西班牙语。

Haga el favor de traducir al chino las siguientes oraciones.

(1) Aquel móvil azul es demasiado caro.

(2) Quiero aquel rojo.

(3) ¿Cuánto valen los dos móviles en total?

(4) ¿De qué marca quieres el móvil?

(5) ¿De qué marca es este teléfono celular?

(6) Aquel celular rojo no es muy caro.

六、学写汉字。

Aprenda a escribir caracteres chinos.

手													
多													
少													
钱													
蓝													
色													
两													
千													
八													
百													
块													
太													
了													
灰													
七													
九													
牌													

一、 **按照例句，根据所给的词用 "想" 练习问答。**

Practíquense diálogos entre preguntas y respuestas utilizando las palabras que se dan y el verbo modal "想", tal como se hace en el ejemplo.

例: 去商店　　　洗衣服
　　A：你想不想去商店？
　　B：我不想去商店，我想洗衣服。

(1) 买大衣　　买裤子
　　A: _____?
　　B: _____, _____。

(2) 学汉语　　学英语
　　A: _____?
　　B: _____, _____。

(3) 在医院工作　　在学校工作
　　A: _____?
　　B: _____, _____。

(4) 喝咖啡　　喝茶
　　A: _____?
　　B: _____, _____。

(5) 买灰色的手机　　买蓝色的手机
　　A: _____?
　　B: _____, _____。

(6) 租一套大房子　　租一套小房子
　　A: _____?
　　B: _____, _____。

二、 **判断下列句子的正误。**（✓）（✗）

Juzgue la corrección de las siguientes oraciones.(✓)(✗)

(1) 你想买不买衣服？　　　　　　　　　　　　　（　　）
(2) 他很想学汉语。　　　　　　　　　　　　　　（　　）
(3) 明天他能去跟我们一起。　　　　　　　　　　（　　）
(4) 我想去看看那套房子明天。　　　　　　　　　（　　）
(5) 那一套房子比较贵，这一套怎么样？　　　　　（　　）

三、选择括号中的词语填空。

Elija palabras apropiadas para rellenar los blancos.

（跟　怎么样　太　买）

（想　不想　很　明天）

(1) 我想去商店_____水果。

(2) 你_____跟中国人一起学汉语。

(3) 你看，这个蓝色的手机_____?

(4) 这衣服_____合适，裤子_____大了。

(5) 我想_____去看看那套房子，你能不能_____我一起去?

四、将下列汉字按相同的偏旁归类：

Clasifique los siguientes caracteres chinos en distintos grupos según que tengan componentes grafémicos iguales:

妈做作朋你她语他谢汉好吗叫哪谁这服啡
边教放呢什脏咖还喝没但漂吧近们茶姐蓝

偏旁	汉字								
女	妈								
亻									
月									
讠									
氵									
口									
辶									
夂									
艹									

五、选择括号中词语的正确位置。

Haga el favor de determinar la ubicación correcta de las palabras que van entre paréntesis en cada oración.

(1) 我（A）租（B）一套大一点儿的（C）房子。（想）

(2) （A）他的房子（B）在学校（C）附近。（就）

(3) （A）你（B）跟我一起（C）去商店吗？（能）

(4) 他妹妹（A）想（B）去医院（C）。（不）

(5) （A）他们（B）在学校（C）工作。（都）

(6) 爱琳娜（A）想（B）买一个（C）洗衣机。（也）

六、请把下列句子翻译成汉语。

Traduzca al chino las siguientes oraciones.

1. Aquel móvil es muy bonito, pero cuesta demasiado.

2. ¿De quién es este teléfono celular rojo?

3. Quiero comprar un teléfono móvil de Motorola.

4. ¿Quieres comprar el gris o el rojo?

5. Mañana iremos juntos al almacén.

6. ¿Quieres o no ir con nosotros?

七、学写汉字。

Aprenda a escribir caracteres chinos.

想												
租												
套												
房												
合												
适												
看												
怎												
样												
能												
跟												
明												
天												

一、将下列词义相同的词连线。

Enlace con rayas las palabras chinas y españolas de significado correspondiente.

交通   fácil   商店   sector residencial

地铁站   banco   几楼   allí

方便   comunicación   那边   qué piso

银行   estación de metro   小区   tienda

二、用括号里的词改写句子。

Reconstruya las oraciones utilizando las palabras que van entre paréntesis.

1. 商店旁边有一个银行。（在）

2. 脏衣服没在洗衣机里。（有）

3. 我在马丁的左边。（是）

4. 学校对面有一个医院。（在）

三、看图会话。

Dialogar a base del plano de abajo.

看图介绍学校周围的环境 (Dé a conocer los alrededores de la universidad según el plano)

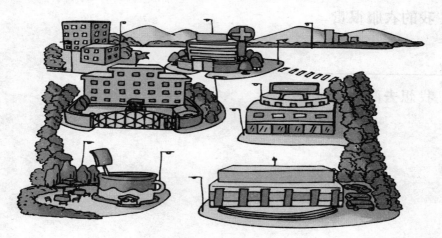

四、根据下列回答写出问句。

Escriba preguntas sobre las rayas para que, en cada caso, lo que hay abajo sea justamente la respuesta.

(1) _____?

这套房子真漂亮。

(2) _____?

行，我跟你一起去。

(3) _____?

我想明天去买一个手机。

(4) _____?

医院附近有一个商店。

(5) _____?

这儿的交通很方便。

(6) _____?

我们去看罗莎吧。

(7) _____?

我的衣服很贵。

(8) _____?

我想去商店买水果。

五、选择适当的词语填空。

Elija palabras apropiadas para rellenar los blancos.

也	都	一起	买
合适	就	去	有

(1) 你姐姐＿＿＿是护士吗？

(2) 你跟我＿＿＿去好吗？

(3) 我想租一套＿＿＿的房子。

(4) 商店旁边＿＿＿是银行。

(5) 我和王大伟＿＿＿学习西班牙语。

(6) 我＿＿＿商店＿＿＿衣服。

(7) 小区里＿＿＿银行吗？

(8) 学生们＿＿＿在学校学习。

六、将下列句子翻译成汉语。

Traduzca al chino las siguientes oraciones.

(1) ¿Es fácil o no la comunicación de los alrededores de aquella universidad?

(2) ¿Está o no la estación de metro detrás del sector residencial?

(3) Dentro del sector residencial no hay bancos, pero hay dos tiendas.

(4) Aquel apartamento está justamente en el cuarto piso de este edificio.

(5) ¿Cuántos pisos tiene este edificio?

(6) Aquel sector residencial queda muy lejos, pero está bien comunicado.

七、学写汉字。

Aprenda a escribir caracteres chinos.

吧												
就												
楼												
几												
层												
交												
通												
方												
便												
地												
铁												
站												
银												
行												

一、 请把下列词语跟译文用线连起来。

Enlace por favor con rayas las siguientes palabras y sus traducciones.

生日	tiempo	后天	sin falta
晚会	noche	星期	empezar
时间	este año	参加	pasado mañana
晚上	fiesta	开始	participar
今年	cumpleaños	一定	semana

二、 请按下面的时间表回答。

Haga el favor de responder, según el siguiente horario, a la pregunta de "你有没有时间？"

	4号	5号	6号	7号	8号	9号	10号
	星期一	星期二	星期三	星期四	星期五	星期六	星期日
上 午	汉语课	✕	汉语课	✕	汉语课	✕	✕
下 午	✕	买东西	汉语课	汉语课	✕	看电影	✕
晚 上	晚 会	✕	看朋友	写作业	✕	✕	✕

三、 根据下面的图示回答问题。

Haga el favor de responder, según indiquen los dibujos, a la pregunta de "他们的生日是几月几号？今年多大？"

四、将下列句子翻译成汉语。

Traduzca al chino las siguientes oraciones.

1. Pasado mañana será el cumpleaños de Martín.

2. Wang Dawei, ¿estás libre o no el martes por la noche?

3. Quiero invitarte a participar en la fiesta de mi cumpleaños.

4. ¿A qué hora empiezas a trabajar mañana?

5. ¿Cuántos años tienes?

6. ¿En qué día y qué mes cae tu cumpleaños?

7. Los dos tenemos la misma edad, su animal horoscópico también es caballo.

8. ¿Qué edad tienen tus padres?

五、根据实际情况回答问题。

Haga el favor de responder a las preguntas según sea la realidad.

1. 明天几月几号？

2. 后天星期几？

3. 你的生日几月几号？

4. 谁来参加你的生日晚会？

5. 星期五晚上你有没有时间？

6. 谁和你同岁？

六、学写汉字。

Aprenda a escribir caracteres chinos.

啊													
半													
参													
点													
定													
号													
会													
加													
间													
今													
开													
来													
俩													
马													
年													
期													
请													

日												
上												
时												
请												
岁												
同												
晚												
星												
月												
属												

一、请把下列词语跟译文用线连起来。

Haga el favor de enlazar con rayas las siguientes palabras y sus traducciones.

现在	No importa	起床	dar clases
着急	por la mañana	睡觉	cada día
没关系	por la noche	每天	parecer
早上	inquietarse	觉得	levantarse
晚上	ahora	上课	dormir

二、请说说你星期六的时间安排。

Haga el favor de decir a todos tu horario del sábado.

7点	起床	16点	
8点		17点	
9点		18点	
10点		19点	
11点		20点	
12点		21点	
13点		22点	
14点		23点	
15点		24点	

三、根据回答写出下列问句。

Escriba preguntas sobre las rayas para que, en cada caso, lo que hay abajo sea justamente la respuesta.

(1)_____?

我早上 8 点上课。

(2)_____?

王大伟早上 7 点半起床。

(3)_____?

在墨西哥我们上午 9 点上课。

(4)_____?

我每天晚上 12 点睡觉。

(5)_____?

王大伟的生日是四月二十一号。

(6)_____?

星期日晚上我没有时间。

(7)_____?

晚会 7 点半开始。

(8)_____?

马丁今年二十四岁。

四、按照例句回答问题。

Haga el favor de responder a las preguntas tal como se hace en el ejemplo.

例: **A**：他现在是不是学生？（老师）

　　B：他现在不是学生，他现在是老师了。

(1) A: 今天是不是十三号？（十四）

　　 B: _____。

(2) A: 现在是不是七点半？（八点）

　　 B: _____。

(3) A: 张伟在不在学校工作？（银行）

　　 B: _____。

(4) A: 医院后边是不是商店？ （地铁站）

    B: _____。

(5) A: 明天是不是星期四？ （星期五）

    B: _____。

(6) A: 你妈妈今年是不是五十岁？ （五十二）

    B: _____。

五、把下列句子翻译成汉语。

Haga el favor de traducir al chino las siguientes oraciones.

1. Hoy ya no puedo ir contigo a ver el piso.

2. Al hermano menor ya le quedan pequeños los pantalones.

3. Este sector residencial se ha vuelto hermoso.

4. Ella ya no es mi novia.

5. El profesor ya no viene.

六、学写汉字。

Aprenda a escribir caracteres chinos.

才											
床											
分											

哥

关

急

觉

课

零

没

每

墨

睡

问

系

现

要

早

着

走

一、在下列句中填入正确的量词。

Agregue clasificadores apropiados a las siguientes oraciones.

（1）我们每人都有一_____电脑。

（2）他的办公室有两_____电话，一_____传真机，
一_____复印机。

（3）张明有三_____墨西哥朋友。

（4）客厅里有三_____沙发。

（5）这_____桌子是爱琳娜的。

（6）沙发旁边的那_____画儿真漂亮。

（7）玛利亚的爸爸是一_____医生。

（8）这里有一_____马。

（9）我想买十_____啤酒。

（10）王大伟有两_____姐姐。

（11）学校后边有一_____大商店。

（12）这_____蓝色的手机多少钱?

（13）何塞想租一_____房子。

（14）那_____房子就在这_____楼里。

（15）这_____小区很大。

二、改正下列错句。

Rectifique, por favor, las faltas de las siguientes oraciones.

(1) 她们办公室都什么有。

(2) 那两张桌子是他们。

(3) 我们办公室的条件很也不错。

(4) 办公室里还没有一套沙发。

(5) 我想觉得这个房子太大了。

(6) 那个小区太很漂亮了。

三、选择括号中的词语填空。

Elija, por favor, palabras de entre el paréntesis para rellenar los blancos.

（也、就、才）

（都、真、得）

(1) 他们办公室每人_____有电话吗？

(2) 他们办公室的条件_____不错，我们办公室的条件_____不错。

(3) 马丁的房子_____在这楼里。

(4) 他每天晚上十二点_____睡觉。

(5) 不早了，我们明天还_____上课呢。

四、替换练习。

Ejercicio de substituciones.

(1) **马丁** **七点** **就** **起床**。

张明	七点半	工作
他们	六点	锻炼
马丁	早上	喝咖啡
王玲	明天	去医院

(2) **我** **觉得** **上课** **太早**。

张明	工作	太忙
李芳	身体	很不错
王玲	房子	太大
我	衣服	很合适

五、把下列句子翻译成汉语。

Haga el favor de traducir al chino las siguientes oraciones.

1. ¿Por qué no duermes hasta las doce?

2. Zhang Ming va todos los días a la oficina muy de madrugada.

3. La oficina de ellos es realmente grande.

4. En aquel almacén hay de todo.

5. El banco está justamente al lado de su edificio.

6. Ahora son apenas las siete, es temprano todavía.

六、把下列词语组成句子。

Haga el favor de formar oraciones con las palabras que se dan.

(1) 漂亮／那／太／画儿／了／张

(2) 都／办公室／没有／他们／什么

(3) 沙发／有／那儿／一套／还

(4) 就／旁边／张明／复印机／在／桌子的

(5) 这儿／传真机／得／一个／放

(6) 小区／在／就／邮局／里边

七、学写汉字。

Aprenda a escribir caracteres chinos.

办												
边												
传												

电
发
复
公
画
话
件
脑
旁
匹
沙
室
他
台
条
印
张
桌

一、用"有点儿"和"一点儿"填空。

　　　Rellene los blancos con　"有点儿"　o "一点儿".

(1) 马丁学习_____紧张。

(2) 北京的冬天_____冷。

(3) 他刚到北京的时候，_____不习惯吃中国菜，现在好_____了。

(4) 我最近_____累。

(5) 你想不想喝_____茶?

(6) 何塞的脸色看起来_____不好。

(7) 张明_____不喜欢这套房子。

(8) 玛利亚最近_____忙。

二、选择适当的副词填空。

　　　Rellene cada blanco de abajo con un adverbio apropiado de los que hay entre el paréntesis.

都、真、很、比较、不、太、多、还、也、才、就、一共

（1）这张画儿_____漂亮。

（2）这个办公室什么_____有。

（3）他最近_____累了。

（4）我_____喜欢吃西班牙菜。

（5）我_____不习惯北京的天气。

（6）北京的冬天_____冷了。

（7）你今年_____大?

（8）你_____是老师吗?

（9）时间_____早了，我得走了。

(10) 不着急,_____早呢。

(11) 你晚上十二点_____睡觉?

(12) 他早上六点_____起床了。

(13) 我觉得八点上课_____早了。

(14) 我姐姐_____想租一套房子。

(15) 我要一斤苹果，一斤香蕉，_____多少钱?

(16) 大商店的水果_____贵了。

三、判断下列句子的正误。(✓)(✗)
Juzgue por favor la corrección de las siguientes oraciones.(✓)(✗)

(1) 刚来北京的时候，马丁觉得紧张有点儿。　　　　　(　　)

(2) 他不习惯吃中国菜。　　　　　　　　　　　　　　(　　)

(3) 看起来他一点儿累了。　　　　　　　　　　　　　(　　)

(4) 你想不想喝一点咖啡?　　　　　　　　　　　　　(　　)

(5) 他最近工作忙一点。　　　　　　　　　　　　　　(　　)

(6) 你刚不习惯这儿的天气吗?　　　　　　　　　　　(　　)

四、把下面的词语组成句子。
Forme, por favor, oraciones con las palabras que se dan.

(1) 有点儿 / 开始 / 学习 / 刚 / 马丁 / 觉得 / 的时候 / 紧张

(2) 吃 / 很 / 他 / 中国菜 / 喜欢

(3) 都 / 我们 / 什么 / 有 / 办公室

(4) 北京的 / 还 / 我 / 不习惯 / 天气

(5) 点儿 / 我们 / 去 / 咖啡 / 一起 / 喝

(6) 想 / 最近 / 家 / 有点儿 / 我

五、把下列句子翻译成西班牙语。

Traduzca por favor al chino las siguientes oraciones.

1. Ella tiene mala cara, ¿está acaso enferma?

2. Ayer fui a participar en la fiesta de cumpleaños de un amigo.

3. El invierno de Beijing es muy frío.

4. ¿Estás ya acostumbrada al tiempo de allí?

5. últimamente nos han hecho un examen físico.

6. Ella aún no se acostumbra a comer los guisados de China.

六、学写汉字。

Aprenda a escribir caracteres chinos.

北										
菜										
吃										
冬										
刚										
惯										
侯										
欢										

紧											
京											
累											
冷											
脸											
气											
喜											
最											

一、 把下列意义相关的词语用线连起来。

Haga el favor de enlazar con rayas las palabras semánticamente combinables.

有	发烧	天气	起床
刚	办法	喜欢	药
嗓子	医院	吃	喝咖啡
去	疼	早点儿	很冷

二、 用指定的词语完成对话。

Complete los diálogos con las palabras dadas.

(1) 你是不是感冒了?

_____。（可能）

(2) 你脸色不太好，要不要去医院看看?

_____。（可能）

(3) 星期六晚上我们一起去买手机好吗?

_____。（对不起）

(4) _____?（很）

　　我很喜欢吃中国菜。

(5) 你能来参加我的生日晚会吗?

_____。（一定）

(6) _____?（几）

　　我的生日是八月五号。

(7) 时间不早了，我得走了。

_____。（没关系）

(8) _____?（怎么样）

　　这张画儿真漂亮。

三、判断下列句子的正误。（✓）（✗）

Haga el favor de juzgar la corrección de las siguientes oraciones.(✓) (✗)

(1) 你脸色不太好，是不是病一点儿了？   （   ）

(2) 我想去医院不用。   （   ）

(3) 要不要吃点儿药？   （   ）

(4) 明天一起我们去西班牙餐厅，好吗？   （   ）

(5) 我不是有点儿病，只是有点儿想家。   （   ）

(6) 你有什么好办法？   （   ）

四、选择括号中词语的正确位置。

Haga el favor de determinar la ubicación correcta de la palabra que va entre paréntesis en cada oración.

(1) 是 不 是（Ｂ）你 身 体（Ｂ）不 太 好（Ｃ）？ （最 近）

(2) （Ａ）我（Ｂ）有 点 儿（Ｃ）想 爸 爸 和 妈 妈。（只 是）

(3) （Ａ）他（Ｂ）去 医 院（Ｃ）看 病。（刚）

(4) 他（Ａ）不 习 惯（Ｂ）北 京 的 天 气，（Ｃ）习 惯 吃 中 国 菜。（只 是）

(5) 他 现 在 工 作（Ａ）太 忙，看 起 来（Ｂ）脸 色（Ｃ）不 太 好。（有 点 儿）

五、把下列句子翻译成汉语。

Traduzca por favor al chino las siguientes oraciones.

1. Cuando recién empezaba a trabajar, me sentía un poco nervioso.

2. últimamente Martín no se siente apremiado en el estudio.

3. Vamos juntos a tomar platos chinos.

4. Puede que tenga él un poco de fiebre.

5. A él sólo le apetece dormir, y no piensa trabajar.

6. Su enfermedad no requiere medicamentos.

六、学写汉字。

Aprenda a escribir caracteres chinos.

办														
病														
餐														
法														
感														
家														
冒														
嗓														
烧														
疼														
厅														
药														
用														
只														

第二十一课 Lección 21

一、替换练习。
Ejercicio de substituciones.

（1） A：谁给他检查身体？

B：那个医生给他检查身体。

妈妈	姐姐	做衣服
爸爸	弟弟	租房子
他朋友	他	买药
中国老师	你们	上课
王大伟	朋友们	做中国菜
姐姐	爸爸	买中国菜

（2） A：他应该做什么？

B：他应该锻炼身体。

王大伟	去检查身体
马丁	去医院看病
玛利亚	吃药
何塞	每天锻炼
李芳	去学校上课
罗莎	去医院加班

二、完成下列对话。
Complete los diálogos de abajo.

(1) A:大夫，_____。

B:来，我给你检查检查。

(2) A:_____？

B:很忙，每天晚上十二点才睡觉。

(3) A:_____？

B:我每天都锻炼身体。

(4) A:_____？

B:我想明天去长城。

(5) A: ＿＿＿＿＿＿＿＿＿＿＿＿＿＿？

B: 不是，这是何塞的办公室。

(6) A: 你觉得这套房子怎么样？

B: ＿＿＿＿＿＿＿＿＿＿＿＿＿＿。

(7) A: 星期六晚上你有没有时间？

B: ＿＿＿＿＿＿＿＿＿＿＿＿＿＿。

(8) A: 晚会几点开始？

B: ＿＿＿＿＿＿＿＿＿＿＿＿＿＿。

三、用"常常"完成句子。

Complete las siguientes oraciones utilizando "常常".

(1) 我最近很忙，＿＿＿＿＿＿＿＿＿＿＿＿。

(2) ＿＿＿＿＿＿＿＿＿＿＿＿锻炼身体。

(3) 刚到中国的时候，＿＿＿＿＿＿＿＿＿＿＿。

(4) 北京有一个 TACO 餐厅，＿＿＿＿＿＿＿＿＿＿。

(5) ＿＿＿＿＿＿＿＿＿＿＿＿睡觉。

(6) ＿＿＿＿＿＿＿＿＿＿＿＿打电话。

四、请判断下列句子的正误。(✓)(✗)

Haga el favor de juzgar la corrección de las siguientes oraciones.(✓) (✗)

(1) 你发烧一点儿了，要不要去医院看病。　　　(　)

(2) 他嗓子有点儿疼，但是不发烧。　　　(　)

(3) 我的办公室还没有传真机，应该买一件。　　　(　)

(4) 我觉得身体好很重要。　　　(　)

(5) 请大夫给你应该检查检查。　　　(　)

(6) 大夫，我身体有什么问题吗？　　　(　)

五、请把下列词语翻译成汉语。

Traduzca por favor al chino las siguientes oraciones.

1. ser un poco frío

2. poco acostumbrado

3. trabajar horas extras todos los días

4. ser beneficioso para el trabajo

5. problema importante

6. deber estudiar

六、请把下列词语组成句子。

Haga el favor de formar oraciones con las palabras dadas.

(1) 想想／什么／喜欢／吃／你

(2) 去／参加／可能／晚会／生日／他／不

(3) 中国菜／吃／去／他们／明天／餐厅

(4) 常常／这个星期／她／加班／医院／在

(5) 有点儿／他／累／只是／最近

(6) 汉语／我朋友／学习／想／都

七、学写汉字。

Aprenda a escribir caracteres chinos.

查												
常												
处												
锻												
该												
给												
检												
炼												
全												
身												
舒												
题												
头												
应												
重												

一、看图完成对话。

Complete los siguientes diálogos a base de los dibujos.

A. 陌生人(Un desconocido):请问，…………
   王大伟:…………

B. —请问，…………
   —:…………

C. 陌生人: 请问，…………
   张明:…………

D. 顾客(El cliente):…………
   摊主(El puestero):…………

二、　替换练习。

Ejercicio de substituciones.

（1）请你告诉我　你的地址。

李芳	赵小英	电话号码
张明	马丁	中国朋友的名字
李芳	王玲	玛利亚要去医院
你	她	最近我没有时间

（2）我们一起聊天儿。

马丁和玛利亚	等朋友
李芳她们	去商店
张明和王大伟	检查身体
他们三个人	问问题

三、　选择括号中的词语填空。

Haga el favor de rellenar los blancos utilizando las palabras que van entre paréntesis.

（对　　还　　可能）

（应该　给　　还是　太）

(1) 晚上是你加班＿＿＿＿＿＿他加班？

(2) 大夫＿＿＿＿＿＿你检查了吗？

(3) 最近他是不是工作＿＿＿＿＿紧张了？

(4) 常常锻炼＿＿＿＿＿＿身体有好处。

(5) 你们＿＿＿＿＿有什么问题吗？

(6) 明天不上课,张明＿＿＿＿＿忘了告诉马丁了。

(7) 我们＿＿＿＿＿去医院看看她。

四、　选择括号中词语的正确位置。

Haga el favor de determinar la ubicación correcta de la palabra que va entre paréntesis en cada oración.

(1)（A）我们（B）想去医院（C）看她。（都）

(2) 你（A）早点儿（B）告诉（C）我们。（应该）

(3) 明天我（A）没时间（B）和你一起（C）去喝咖啡。（可能）

(4)（A）我（B）想办法（C）告诉王玲。（一定）

(5)（A）明天李芳（B）在家（C）等朋友。（要）

五、 把下列句子翻译成汉语。

Traduzca por favor al chino las siguientes oraciones.

(1) Debemos esperarlos un ratito.

(2) Quiero charlar un poco con ellos.

(3) Piénsatelo, ¿es importante o no hacer ejercicios físicos?

(4) Será mejor que vaya él a preguntarlo al profesor.

(5) Mañana posiblemente tendremos que trabajar otras horas extras.

六、 把下列词语组成句子。

Haga el favor de formar oraciones con las palabras dadas.

(1) 应该／检查／请大夫／检查身体／你

(2) 我／没有／李芳／可能／告诉

(3) 都／参加／想／晚会／去／我们

(4) 吗／问老师／有／你／问题

(5) 王玲／哪儿／在／家／请问

七、学写汉字。

Aprenda a escribir caracteres chinos.

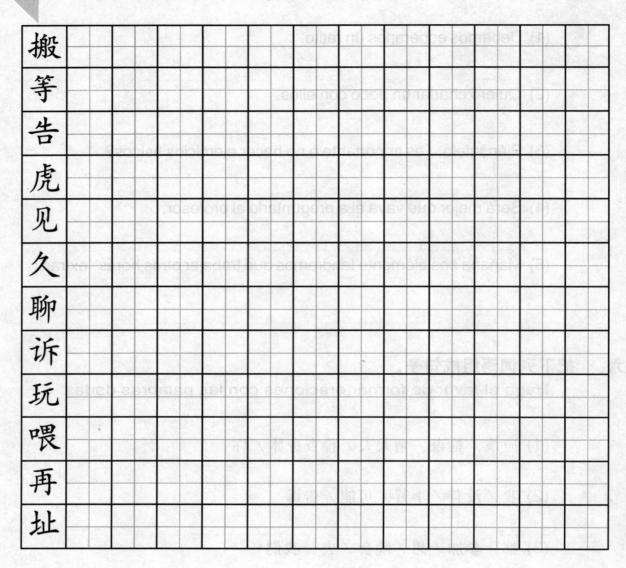

搬												
等												
告												
虎												
见												
久												
聊												
诉												
玩												
喂												
再												
址												

一、替换练习。

Ejercicio de substituciones.

(1) A: 他问谁问题?

B: 他问老师问题。

教	西班牙语	朋友
教	汉语	马丁
告诉	地址	妹妹
告诉	电话号码	哥哥
告诉	搬家的事儿	奶奶
教	英语	爷爷

(2) A: 他忘了什么事儿?

B: 他忘了去办公室加班。

爸爸	去医院检查身体
妈妈	买裤子
爷爷	给弟弟打电话
奶奶	吃药
妹妹	给妈妈买菜
哥哥	等妹妹

(3) 我和一个朋友去逛商店了。

李芳	王玲	打电话
马丁	张明	租房子
赵小英	王玲	找朋友聊天儿
玛利亚	李芳	问电话号码
李芳	赵小英	买毛衣

二、**看图完成对话。**
Complete los diálogos a base de dibujos.

A: 请告诉我你的地址。
B: …………

A: 下午你去哪儿了？
B: …………

A: 你去商店买什么了？
B: …………

A: …………
B: 我的电话号码是 27463728。

三、判断下列句子的正误。（√）（×）

Haga el favor de juzgar la corrección de las siguientes oraciones.（√）（×）

（1）我早一点儿想给他打电话。 　（　　）
（2）刚我们都知道她家的地址。 　（　　）
（3）我还要问他问题，但是电话挂了。 （　　）
（4）你别忘了告诉他。 （　　）
（5）你别在学校门口等，你在学校里等我。 （　　）
（6）他买了一条毛衣，一顶帽子。 （　　）

四、选择括号中词语的正确位置。

Determine la ubicación correcta de las palabras que van entre paréntesis en cada oración.

（1）（A）他（B）六点（C）来了。（就）
（2）（A）弟弟（B）晚上一点（C）睡觉。（才）
（3）（A）他们（B）在学校看书（C）。（还）
（4）（A）他姐姐去（B）医院加班（C）。（明天）
（5）王大伟（A）教马丁（B）学习汉语（C）。（在学校）

五、按照汉语词序组成句子。

Forme oraciones con las palabras dadas según el orden de palabras del chino.

（1）了／他／一条／买／围巾

（2）忘了／爸爸／打电话／昨天／给弟弟

（3）了／一套／租／房子／姐姐

(4) 了／很多／做／妈妈／中国菜

_____

(5) 挂／没有／电话／还

_____

(6) 也／电话号码／我／她家的／不知道

_____

六、把下列句子翻译成汉语。

Traduzca por favor al chino las siguientes oraciones.

(1) No te olvides de decirles la dirección.

_____

(2) No olvides, mañana te esperaré a la entrada del colegio.

_____

(3) Li Fang compró una gorra, una bufanda y un jersey.

_____

(4) ¿A quién esperabas ayer a la puerta?

_____

(5) Cuando iba a la tienda, me llegó tu llamada.

_____

(6) Las condiciones de la familia de Wang Ling son muy buenas y las de la de Li Fang también.

_____

七、**学写汉字**。

Aprenda a escribir caracteres chinos.

次
打
道
顶
挂
逛
巾
口
毛
帽
门
让
事
忘
围
午
下

知															
昨															

第二十四课 Lección 24

一、请选择括号中的词语填空。

Haga el favor de elegir entre el paréntesis palabras apropiadas para rellenar los blancos de las siguientes oraciones.

（正在　　让　　快要）
（可以　　打算　　还）

(1) 我们_____不知道考试的时间。

(2) 我朋友_____来北京了。

(3) 李芳_____和赵小英一起去王玲家。

(4) 我_____陪他去看大夫。

(5) 我去他家的时候，他_____打电话。

(6) 王玲_____赵小英她们去她家玩儿。

二、替换练习。

Ejercicio de substituciones.

（1）**明天我和李芳**一起去**买衣服**。

我们	看朋友
李芳她们	参加生日晚会
他们	喝茶
张明和马丁	看房子
王大伟他们	买飞机票

（2）**你可以陪我去看病**吗？

李芳	赵小英	买衣服
他	你	喝咖啡
马丁	玛利亚	接人
王大伟	马丁	看朋友
你	我	逛商店

87

三、 **把下列词语翻译成汉语。**

Traduzca por favor al chino las siguientes frases.

(1) estar haciendo exámenes físicos

(2) estar telefoneando

(3) estar hablando con él

(4) estar haciendo ejercicios físicos

(5) estar tomando café.

(6) estar consultando a un médico en un hospital

四、**选择下列括号中词语的正确位置。**

Haga el favor de determinar la ubicación correcta de las palabras que van entre paréntesis en cada oración.

(1) 我（A）正（B）问她家的地址，电话就（C）挂了。（要）

(2) 医生（A）让你（B）吃药，让你（C）锻炼。（没）

(3) （A）维克多（B）在北京住（C）两个星期。（打算）

(4) （A）维克多（B）可能（C）买飞机票。（正在）

(5) 我（A）想（B）告诉她（C）我的电话号码。（正）

(6) 她（A）有点儿（B）担心天气（C）不好。（还）

五、把下列词语组成句子。

Haga el favor de formar oraciones con las palabras dadas.

(1) 什么时候／张明／飞机／到北京／不知道

_____

(2) 玩儿／来北京／打算／维克多／下个月

_____

(3) 没有时间／别／你／陪他／担心

_____

(4) 我／去接／和你／一起／到时候／他

_____

(5) 考试／到时候／我们／要

_____

(6) 和／知道／王玲的地址／可以／电话号码／李芳

_____

六、判断下列句子的正误。（✓）（✗）

Haga el favor de juzgar la corrección de las siguientes oraciones.（✓）（✗）

(1) 我想不知道他飞机票买了没有？　　　　　　　　（　　）

(2) 他打算去墨西哥下个月。　　　　　　　　　　　（　✗　）

(3) 我正想告诉你呢。　　　　　　　　　　　　　　（　　）

(4) 我正担心不能陪他玩儿。　　　　　　　　　　　（　　）

(5) 我们一定去接他到时候。　　　　　　　　　　　（　　）

(6) 时间还早呢，我得走了。　　　　　　　　　　　（　　）

七、学写汉字。

Aprenda a escribir caracteres chinos.

担												
到												
飞												
假												
接												
考												
陪												
票												
试												
书												
算												
心												
以												
在												

第二十五课 **Lección 25**

一、替换练习。

Ejercicio de substituciones.

（1）A: <u>他快到</u>了吗？

B: <u>他快到</u>了。

朋友们	来
中国老师	回国
你	去西班牙
他们	考试
爸爸	到机场
王医生	走

（2）A: 你可以<u>陪我去商店</u>吗？

B: 可以，<u>我陪你去商店</u>。

他	妈妈	去医院
姐姐	妹妹	玩儿
朋友们	他	聊天儿
哥哥	爸爸	去机场
姐姐	妈妈	买衣服
王大伟	马丁	去接朋友

二、用"正在"或"正"、"在"及指定词语完成句子。

Complete las oraciones con "正在"，"正" o "在" y las palabras dadas.

（1）A:你到家的时候，妈妈正在打电话吗？

B:没有，_____。 （做，衣服）

（2）A:_____? （睡觉）

B:哥哥起床的时候，弟弟没睡觉。

（3）A:现在马丁在做什么？

B:_____。 （锻炼，身体）

（4）A:你跟朋友聊天儿的时候，他做什么？

B:_____。 （咖啡）

（5）A:玛利亚去接朋友的时候，王大伟做什么？

B:_____。 （上课）

91

三、用恰当的副词填空。

Elija entre el paréntesis adverbios apropiados para rellenar los blancos.

（还　一定　一起　再）

（不　就　很　常常）

(1) 快走吧，时间_____了。

(2) 别着急，时间_____呢。

(3) 我们_____等他一会儿，好吗？

(4) 我们_____去接他。

(5) 你_____来啊，我等你。

(6) 你_____没告诉我你的地址呢。

(7) 我_____是王大伟。

(8) 他工作_____忙，_____要加班。

四、判断下列句子的正误。（✓）（✕）

Haga el favor de juzgar la corrección de las siguientes oraciones.（✓）（✕）

(1) 我去他房间的时候，他不正在喝咖啡。　　　　　（　　）

(2) 他正想跟我们一起去租房子。　　　　　　　　　（　　）

(3) 我们正在考试的时候，维克多来北京。　　　　　（　　）

(4) 飞机没有五分钟，我们快去出口等吧。　　　　　（　　）

(5) 人都快走了，怎么还没见维克多呢？　　　　　　（　　）

(6) 他们打完电话，就出口去等维克多了。　　　　　（　　）

五、用"要……了"结构与指定词语完成句子。

> Complete las oraciones utilizando la estructura "要……了" y las palabras dadas.

(1) _____，他怎么还没来？ （上课）

(2) _____，快起床吧。 （八点）

(3) _____，最近我们学习很紧张。 （考试）

(4) 你知道不知道？爸爸_____。 （去，中国，工作）

(5) 他说，他_____。 （买，房子）

六、把下列句子翻译成汉语。

> Traduzca por favor al chino las siguientes oraciones.

(1) Posiblemente Víctor está esperando el equipaje.

_____

(2) El avión va a llegar, vámonos a la salida.

_____

(3) Ya es tarde, tengo que ir a dormir.

_____

(4) No te des prisa, el avión aún no ha llegado.

_____

(5) No se debe llegar tarde a las clases.

_____

(6) No te preocupes, esperemos unos momentos más.

_____

七、学写汉字。

Aprenda a escribir caracteres chinos.

场													
迟													
出													
到													
及													
快													
李													
完													
钟													

录音文本

第一课

一、根据录音标出声调。

1. ā ǎ 　　　　2. ó ò 　　　　3. é è 　　　　4. ī ì
5. ú ǔ 　　　　6. ū ù 　　　　7. āo ào 　　　8. āi ǎi
9. iān iàn 　　10. īn ìn 　　　11. ǐng ìng 　　12. uān uǎn

二、根据录音写出下列音节的声母。

1. zā zhā 　　　2. dá tá 　　　3. cā chā 　　　4. gā kā
5. bǎ pǎ 　　　6. dē tē 　　　7. bò pò 　　　8. tiē diē
9. jiāng qiāng 　10. guō kuō 　11. zǔ zhǔ 　　12. jǔ qǔ
13. guī kuī 　　14. guài kuài 　15. guǎ kuǎ 　16. duō tuō

三、根据录音填上拼音。

1. huānyíng 　　2. nǐ 　　　　　3. zàijiàn 　　4. míngtiān
5. míngzi 　　　6. jiào 　　　　7. shénme 　　　8. guó

四、根据录音，给下列词语标上声调。

1. chūntiān 　　2. fāyīn 　　　3. jiānnán 　　　4. Zhōngguó
5. shēntǐ 　　　6. jiāshǔ 　　　7. guānzhào 　　8. huādiàn

第二课

一、根据录音标出声调。

1. zhē zhě	2. shí shǐ	3. shēi shèi	4. hén hèn
5. dōu dòu	6. fāng fáng	7. jiāng jiàng	8. piáo piǎo
9. liáng liǎng	10. kā kǎ	11. fēi féi	12. yáo yǎo
13. bǔ bù	14. chá chà	15. qíng qǐng	16. zuǒ zuò

二、根据录音填上声母。

1. qiāng jiāng	2. qiān jiān	3. xiāo qiāo	4. qióng xióng
5. jūn xūn	6. quàn juàn	7. guì kuì	8. gǔn kǔn
9. jiǔ xiǔ	10. què xuè	11. juān jiān	12. kàn kàng
13. xīng xiāng	14. jiā xiā		

三、根据录音标上声调。

1. bù shuō	2. bù hēi	3. bù máng	4. bù lái
5. bù hǎo	6. bù mǎi	7. bù yào	8. bù cuò

四、跟着录音听写。

1. qǐng zuò	2. fángjiān	3. yào chá	4. bù yào kāfēi
5. shēntǐ hěn hǎo	6. wǒ de míngzi	7. tāmen hěn máng	

五、听两遍录音后，给下列词语标上声调。

1. xiānhuā	2. chūnhán	3. míngnián	4. shíyī
5. shēngcí	6. yāoqiú	7. yóujú	8. hóngchá
9. fēngjǐng	10. xiūlǐ	11. píngguǒ	12. méiyǒu

六、　听两遍录音并根据录音完成对话。

A: Zhè shì shéi?

B: Zhè shì Mǎdīng de bàba.

A: Zhè shì mǎdīng de māma ma?

B: Zhè bù shì Mǎdīng de māma.

A: Zhè shì shéi de fángjiān?

B: Zhè shì wǒ de fángjiān.

A: Mǎdīng de fángjiān piàoliang ma?

B: Mǎdīng de fángjiān hěn piàoliang.

A: Mǎdīng de bàba yào chá ma?

B: Mǎdīng de bàba bù yào chá,yào kāfēi.

A: Mǎdīng māma de shēntǐ hǎo ma?

B: Mǎdīng māma de shēntǐ hěn hǎo.

第三课

一、根据录音写出韵母和声调。

1. zhá zhǎ　　　2. zhē zhé　　　3. shé shě　　　4. rě rè
5. zhǔ zhù　　　6. zhuī zhuì　　　7. zhuān zhuǎn　　　8. zhuāng zhuàng

二、根据录音写出下列词语的声母。

1. biāo piāo　　　2. gǎo kǎo　　　3. bān bāng　　　4. tǎng dǎng
5. gòng kòng　　　6. duō tuō　　　7. juàn quàn　　　8. cūn chūn
9. zūn zhūn

三、根据录音填上拼音。

1. zhù nǎr　　　2. shí'èr lóu　　　3. sān yāo liù hào　　　4. diànhuà hàomǎ
5. duōshao　　　6. míngpiàn　　　7. xuéxiào　　　8. kāfēiguǎn

五、根据录音给下面的词语标上声调。

1. xǐhuan　　　2. huānyíng　　　3. xīfāng　　　4. xīwàng
5. hàomǎ　　　6. hǎohàn　　　7. diǎncài　　　8. diànhuà
9. mǎihuā　　　10. màihuà　　　11. zěnme　　　12. zhème

六、听录音后完成下列对话。

A: Nǐ zhù běijīng dàxué ma?
B: Wǒ bù zhù Běijīng Dàxué.

A: Nǐ zhù nǎr?
B: Wǒ zhù xuéxiào pángbiān.

A: Mǎdīng zhù nǎr?

B: Mǎdīng zhù xuéxiào lǐ biān.

A: Mǎdīng yǒu diànhuà ma?

B: Yǒu.

A: Tā de diànhu hàomǎ shì duōshao?

B: Liù sān yāo wǔ èr qī bā jiǔ.

第四课

一、　根据录音填上韵母。

1. cā	2. cāng	3. cāo	4. cōng	5. còu
6. cuàn	7. cuì	8. cún	9. cuō	10. zá
11. zài	12. zèng	13. zuì	14. zūn	15. sài
16. sāo	17. sòng	18. suì	19. sūn	20. sǎng

二、　根据录音给下列词语填上韵母。

| 1. cū　cǒu | 2. zǒu　zuò | 3. cuī　chuī | 4. jiāo　qiāo |
| 5. juàn　quàn | 6. jiè　xiè | 7. xué　qué | 8. qǐng　qīn |

三、根据录音填上拼音。

1. píngguǒ　　　2. xiāngjiāo　　　3. duōshaoqián　　　4. píjiǔ
5. yīpíng

五、根据录音给下列词语标上声调。

1. yǒu yìsi	2. wèn wèntí	3. xiě dìzhǐ	4. chuān yīfu
5. mǎi kělè	6. hē niúnǎi	7. jiǎng gùshi	8. tán tiānqì
9. chī wǔfàn	10. zuò liànxí		

第五课

一、根据录音标出声调。

1. gǔ   gù   2. guā   guà   3. guǐ   guì   4. guān   guǎn
5. gǔn   gùn   6. kē   kě   7. kuǎ   kuà   8. kuī   kuì
9. kǒu   kòu   10. hē   hè   11. hū   hú   12. huá   huà
13. huī huí   14. huǎn   huàn   15. huáng huàng

二、根据录音填上下列词语的声母。

1. gōng   2. kòng   3. gěn   4. hěn   5. gāng
6. kāng   7. hǎo   8. kǎo   9. guài   10. kuài
11. guāng   12. huāng   13. róng   14. lóng   15. rǎo
16. lǎo   17. páng   18. fáng

三、根据录音给下列词语标上声调。

1. Chángchéng   2. xiǎng qù   3. bǐjiào yuǎn
4. fùjìn yǒu chēzhàn   5. shēnghuó xíguàn   6. qǐng fàngxīn
7. zhùyì shēntǐ   8. cháng dǎ diànhuà

五、根据录音给下列词语填上拼音。

1. xīngqī liù   2. měitiān   3. jīntiān   4. hòutiān
5. zuótiān   6. chēzhàn   7. bù xíguàn   8. bǐjiào yuǎn
9. hěnyuǎn   10. fùjìn   11. zìxíngchē   12. hǎode